Courtney
Tome Un
Crumrin

Les Choses de la Nuit

Ce livre appartient à

....

Édition française : Éditions Akileos
RICHARD SAINT MARTIN & EMMANUEL BOUTEILLE, éditeurs

Édition originale : Oni Press, Inc.
JOE NOZEMACK , éditeur
JAMES LUCAS JONES, rédacteur en chef
JILL BEATON, directrice de collection
KEITH WOOD, maquettiste

AKILEOS ÉDITIONS
162 Cours du Maréchal Galliéni
33400 Talence
www.akileos.com

ONI PRESS, INC.
1305 SE Martin Luther King Blvd., Ste. A
Portland, OR 97214
USA
www.onipress.com

www.tednaifeh.com

Achevé d'imprimer en Allemagne, par Himmer., en mai 2012
ISBN : 978-2-35574-111-1
Dépôt légal : Juin 2012
10 9 8 7 6 5 4 3 2 1

Courtney

Tome Un

Crumrin

Les Choses de la Nuit

Scénario & dessin

—◈ TED NAIFEH ◈—

Couleurs

WARREN WUCINICH

Traduction
ACHILLE(S)

Chapitre Un

'TENTION LÀ.

L'VIEUX PROFESSEUR CRUMRIN, L'AIME PAS VOIR D'GAMINS GAMBADER DANS SON JARDIN.

J'VOIS TOUT C'QUI S'PASSE PAR ICI.

J'SUIS L'PLUS VIEIL HABITANT DU QUARTIER.

MOI, C'EST BUTTERWORM.

J'AI VU LA MAISON D'CRUMRIN S'CONSTRUIRE.

C'ÉTAIT LA PREMIÈRE MAISON À HILLSBOROUGH, AVANT QU'ÇA D'VIENNE UNE BANLIEUE CHIC PLEINE DE MORVEUX TROP GÂTÉS.

J'LES ENTENDS PARLER, CES P'TITS DIABLES.

J'ENTENDS TOUTES LEURS MÉCHANTES RUMEURS. MEURTRES À LA HACHE DANS L'GRENIER.

CE TYPE, MICHAEL JACKSON, QUI VIENT TOUS LES ANS S'FAIRE REFAIRE LE NEZ..

Y SONT MORTS DE PEUR FACE À CETTE VIEILLE MAISON, BÉNIS SOIENT-ILS.

J'VAIS VOUS DIRE QUE'QUE CHOSE.

TOUTES CES RUMEURS.

COMPARÉ À C'QUI S'PASSE VRAIMENT ICI... C'EST DU PIPI D'CHAT.

*À la Magie, pour avoir contribué à éveiller mon imagination et à Ron,
pour m'avoir parlé des Choses de la Nuit.*

CONNAISSEZ-VOUS CETTE PETITE
BANLIEUE EN DEHORS DE LA
VILLE, CELLE AVEC LES GRANDES
MAISONS ET LES ARBRES?

CONNAISSEZ-VOUS CETTE MAISON,
CELLE DONT TOUT LE MONDE PARLE
DANS LE VOISINAGE?

PAS LA MAISON OUDLER AUX FANTAISISTES
COLONNES DE MARBRE, NI RADLEY HALL
OÙ LE PRÉSIDENT NIXON DÎNA UNE FOIS
DANS LES ANNÉES SOIXANTE-DIX. NON,
JE VEUX PARLER DE LA MAISON DU VIEUX
PROFESSEUR CRUMRIN.

IL EST BIEN CONNU QUE DE
TERRIBLES CHOSES S'Y
DÉROULENT, ET QUE LE VIEUX
CRUMRIN EST PLUS FOU QU'UN
CHAPELIER VICTORIEN.

EH BIEN, C'EST LA MAISON
QUE COURTNEY CRUMRIN
ALLAIT BIENTÔT HABITER.

ALOYSIUS CRUMRIN NE RAJEUNISSAIT PAS ET AURAIT BIENTÔT BESOIN QU'ON S'OCCUPE DE LUI.

... OR LES PARENTS DE COURTNEY AVAIENT ÉPUISÉ LEURS CARTES DE CRÉDIT. AUSSI, LA POSSIBILITÉ DE VIVRE SANS LOYER À PAYER DANS UNE AGRÉABLE BANLIEUE ÉTAIT UNE OCCASION TROP BELLE POUR LA LAISSER PASSER.

ELLE ÉTAIT VENUE DANS CETTE MAISON ALORS QU'ELLE ÉTAIT ENCORE PETITE.

LES SOUVENIRS DE CETTE VISITE N'ÉTAIENT PAS DES PLUS AGRÉABLES.

LE DÉLABREMENT ET L'OBSCURITÉ GÉNÉRALE NE FAISAIENT QU'AUG-MENTER SON APPRÉHENSION.

LES PIÈCES DU BAS SONT POUR VOUS...

MAIS NE VOUS AVISEZ PAS DE POINTER VOTRE NEZ DANS MES APPARTE-MENTS PRIVÉS.

DE SES TERRIBLES YEUX, IL LUI LANÇA UN REGARD MÉPRISANT.

VOUDRIEZ-VOUS UN CHOCOLAT CHAUD?

NON MERCI, MONSIEUR.

ONCLE ALOYSIUS ÉTAIT ENCORE PLUS DÉSAGRÉABLE QUE DANS SES SOUVENIRS, AVEC UN VISAGE À FAIRE TOURNER LE LAIT.

COMME ELLE RÉALISAIT QU'ELLE ALLAIT VIVRE SOUS LE MÊME TOIT QUE LUI, SON ESTOMAC SE CONTRACTA.

«C'ÉTAIT DÉJÀ SUFFISAMMENT DIFFICILE EN VILLE AVEC CES IMBÉCILES QUI ME SERVENT DE PÈRE ET MÈRE,» SE DIT-ELLE.

«J'AI VRAIMENT DÛ ÊTRE MÉCHANTE DANS UNE AUTRE VIE. PEUT-ÊTRE PROF DE GYM.»

SA CHAMBRE ÉTAIT FROIDE, POUSSIÉREUSE ET INCONFORTABLE. COURTNEY FIT FACE À SA DÉCEPTION DU MIEUX QU'ELLE POUVAIT.

...GROGNE...

IL ÉTAIT DIFFICILE DE DORMIR À CAUSE DES COUVERTURES QUI SENTAIENT LE VIEUX ET DU BOIS DE LA MAISON QUI ÉMETTAIENT DES GRINCEMENTS ET DES GÉMISSEMENTS ÉTRANGES.

MAIS LE PLUS INQUIÉTANT, ET DE LOIN, ÉTAIT LE BRUIT D'UNE CHOSE REMUANT AU PIED DE SON LIT.

QUI EST LÀ?

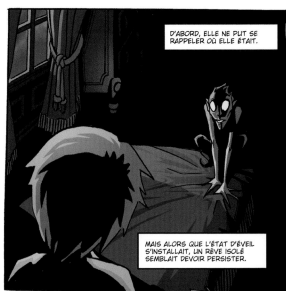

D'ABORD, ELLE NE PUT SE RAPPELER OÙ ELLE ÉTAIT.

MAIS ALORS QUE L'ÉTAT D'ÉVEIL S'INSTALLAIT, UN RÊVE ISOLÉ SEMBLAIT DEVOIR PERSISTER.

DES PENSÉES CONFUSES LUTTAIENT DANS SON ESPRIT ENSOMMEILLÉ AFIN D'EXPLIQUER CE QU'ELLE VOYAIT.

CE N'EST QU'APRÈS AVOIR ALLUMÉ LA LUMIÈRE QU'UNE PANIQUE GLACIALE S'INSTALLA.

HEU...

INUTILE DE PRÉCISER QU'ELLE NE FERMA PLUS L'ŒIL DE LA NUIT. VOUS AURIEZ PU, VOUS?

OUAIS, COMPRIS. ...GROGNE...

COURTNEY VENAIT D'UN QUARTIER DE LA VILLE PLUTÔT MODESTE ET TRANCHAIT AU MILIEU DE SES CAMARADES DE CLASSE PRIVILÉGIÉS.

ÇA ET SON NOM DE FAMILLE ÉTAIENT SUFFISANTS POUR LUI ASSURER UNE DIFFICILE ENTRÉE EN MATIÈRE.

C'EST LA PETITE-FILLE DE CE VIEUX FOU DE CRUMRIN...

QU'EST-CE QUE C'EST QUE CES VÊTEMENTS QU'ELLE PORTE?

J'AI ENTENDU DIRE QU'ELLE VIENT DE LA CITÉ. ELLE PARLE COMME SI ELLE EN VENAIT EN TOUT CAS.

TU ES VRAIMENT PARENTE DU VIEUX CRUMRIN?

OUAIS, ET ALORS?

J'AI ENTENDU DIRE QU'IL ÉTAIT UN PEU LUNATIQUE OU UN EX-HIPPIE OU QUELQUE CHOSE DE CE GENRE.

JE SAIS PAS. JE CROIS QUE C'EST JUSTE UN PAUVRE TYPE.

ALORS, EST-CE QU'IL A VRAIMENT UN TAS DE GAMINS DIFFORMES DANS SA CAVE?

NON.

OH... ALORS EST-CE QU'IL A VRAIMENT ÉPOUSÉ UNE ANCIENNE STAR DE FILMS X?

J'SAIS PAS.

LE GARÇON S'APPELAIT AXEL. C'ÉTAIT LE FILS D'UNE EX-STAR DE FOOTBALL AMÉRICAIN, MÊME S'IL NE SEMBLAIT PAS AVOIR HÉRITÉ GRAND-CHOSE DU PATRIMOINE GÉNÉTIQUE DE SON PÈRE.

ALORS Y A-T-IL VRAIMENT UNE PIÈCE SECRÈTE PLEINE D'ARGENT DE LA MAFIA?

JE VAIS VÉRIFIER, JE TE DIRAI PLUS TARD.

HILLSBOROUGH DOIT TE CHANGER DE LA CITÉ, HEIN?

VU LES CIRCONSTANCES, COURTNEY ÉTAIT PLUTÔT CONTENTE DE S'ÊTRE FAIT UN AMI DÈS LE PREMIER JOUR, MÊME SI C'ÉTAIT UN CRÉTIN.

HO HO...

REGARDEZ. LA TACHE A UNE PETITE COPINE.

C'EST UNE FILLE? ELLE RESSEMBLE À UN COTON-TIGE.

COTON-TIGE! HA HA! TROP DRÔLE!

CE SONT TES POTES? C'EST LÀ QUE VOUS ATTENDEZ TOUS LE BUS?

-TOUSSE-

-CRACHE-

DIX DOLLARS ? QU'EST-CE QUE ÇA VEUT DIRE ?

TU FERAIS MIEUX D'AVOIR PLUS QUE ÇA DEMAIN, COTON-TIGE.

OUCH!

WUMP!

NE T'INQUIÈTE PAS, ILS NE TE BATTENT QUE LES PREMIÈRES FOIS.

-TOUSSE-

RAPPELLE-MOI DE LES REMERCIER.

COMME POUR AJOUTER À LA CONSTERNATION DE COURTNEY, SES PARENTS SEMBLAIENT SE PLAIRE DANS LEUR NOUVELLE VIE.

OH, TU DEVRAIS VOIR LE CLUB DE GYM.

MASSAGES VINGT-QUATRE HEURES SUR VINGT-QUATRE.

MMMM...

J'AI COURU AVEC JEB FINCH CE MATIN. TU SAIS, LE PROCUREUR.

UN TYPE TERRIBLE. RICHE À MOURIR.

COMMENT ÉTAIT TA PREMIÈRE JOURNÉE À L'ÉCOLE MA CHÉRIE?

...GROGNE....

OHÉ?

CETTE NUIT ENCORE, COURTNEY ÉTAIT
INCAPABLE DE DORMIR. ELLE ERRAIT
DANS LES COULOIRS SILENCIEUX,
EMPLIE D'UNE CRAINTE INCONNUE.

OHÉ?

IL Y A
QUELQU'UN?

UNE LUMIÈRE CHAUDE ET ATTIRANTE FILTRAIT SOUS LA PORTE.

COURTNEY AVAIT PEUR D'ENCOURIR LA COLÈRE DE SON ONCLE, MAIS SA CRAINTE DE LA MAISON VIDE ÉTAIT ENCORE PLUS FORTE.

ONCLE ALOYSIUS?

ELLE OUBLIA SA PEUR UN MOMENT ET CONTEMPLA ÉMERVEILLÉE.

ÇA RESSEMBLAIT AU REPAIRE D'UN SORCIER, REMPLI D'INNOMBRABLES CURIOSITÉS ET OBJETS MAGIQUES.

HO...

ZARBI.

UN PEU DE LECTURE LÉGÈRE POUR LES DÉSAXÉS MENTAUX.

ESSAIE DE DORMIR UN PEU. LE JOUR SERA BIENTÔT LÀ.

LE JOUR SUIVANT, COURTNEY EUT L'IMPRESSION D'ÊTRE UN MORT-VIVANT. ELLE COMMENÇAIT VRAIMENT À FAIRE MAUVAISE IMPRESSION À SON PROFESSEUR.

Sujet : Estimez votre valeur nette

MISS CRUMRIN, JE VAIS VOUS DEMANDER DE BIEN VOULOIR RESTER ÉVEILLÉE DURANT MA CLASSE.

JE SAIS QUE J'EN DEMANDE BEAUCOUP...

HÉ, ATTENDS.

LA JOURNÉE AVAIT SEMBLÉ INTERMINABLE. ELLE NE SE DOUTAIT PAS QUE LE PIRE ÉTAIT À VENIR.

BIEN SÛR QUE C'ÉTAIT POSSIBLE. ET COURTNEY ALLAIT LE DÉCOUVRIR.

AXEL?

DÉSOLÉE POUR LE TRUC DU NAZE. C'EST QUE..

HÉ, JE TE PARLE...

~SLURP~

~MIAM~

TU...

UN AUT' POUR L'DESSERT!

COMME C'EST GENTIL!

Aaaaaahhh!!!

PLUS PERSONNE NE DEVAIT REVOIR AXEL À HILLSBOROUGH. JE CRAINS QUE COURTNEY N'AIT ÉTÉ QUE MODÉRÉMENT AFFECTÉE PAR SA MISÉRABLE DISPARITION.

APRÈS TOUT, ELLE AVAIT SES PROPRES PROBLÈMES À RÉSOUDRE.

OH, QUELLE JOLIE VESTE VOUS AVEZ LÀ, M'SIEUR BUTTERWORM.

BEN, MERCI M'SIEUR BUTTERWORM. ELLE PROVIENT D'UN PARFAIT ET SAVOUREUX SPÉCIMEN DE P'TIT GARÇON.

COMME C'EST CHARMANT, M'SIEUR BUTTERWORM. ET OÙ EST CE P'TIT GARÇON MAINTENANT ?

BUURRRRUPP!

J'PEUX PAS VRAIMENT L'DIRE, M'SIEUR BUTTERWORM. PEUT-ÊTRE SUR L'CHEMIN D'MES INTESTINS.

HUM!

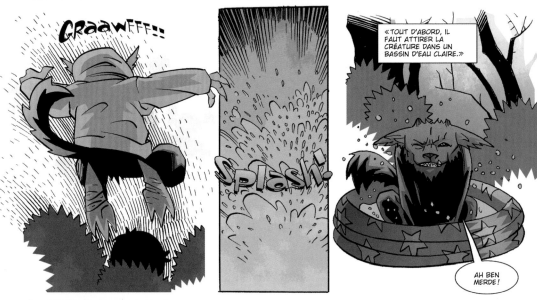

«...JUSQU'À CE QU'ON PUISSE L'ATTACHER SOLIDEMENT AVEC UNE CHAÎNE DE FER.»

TU CROIS P'TÈT QU'T'ES MALIGNE, HEIN, GAMINE ?

JE FAIS JUSTE MES DEVOIRS.

À PLUS.

ESPÈCE DE P'TIT MONSTRE ! J'TE DÉVORERAI L'VISAGE !

LIBÈRE-MOI !

MAIS CE N'ÉTAIT PAS LA FIN DU CHAPITRE.

«IL FAUT ALORS ATTENDRE TROIS JOURS ET TROIS NUITS ET REVENIR AU CRÉPUSCULE DU QUATRIÈME JOUR.»

E-E-ENCORE T-TOI...

ÇA BAIGNE?

J'AI APPORTÉ À MANGER. JAMBON-FROMAGE

CE N'EST PAS CE DONT TU AS L'HABITUDE, MAIS...

CHOMP!

«SI LE GOBELIN ACCEPTE ALORS LA NOURRITURE QUE VOUS LUI DONNEZ...

«IL DEVRA VOUS RENDRE UN SERVICE.»

D'ACCORD MAM'SELLE JE-SAIS-TOUT. QU'EST-CE QUE T'ATTENDS DE MOI?

CONTENTE QUE TU LE DEMANDES...

JE VOIS QUE TU AS DÉCIDÉ DE T'INSTALLER ET D'EN PROFITER AU MIEUX.

OH, C'EST PAS SI MAL, ICI.

EST-CE QUE TU TE FAIS DE NOUVEAUX AMIS À L'ÉCOLE?

J'AI RENCONTRÉ DES GENS PLUTÔT INTÉRESSANTS...

1, CHEMIN DE KENSINGTON.
LE MANOIR OUDLER.

BONNE NUIT ALICIA, MA CHÈRE. FAITES DE BEAUX RÊVES

'NUIT, PAPA.

Chapitre Deux

COMME VOUS POUVEZ L'IMAGINER, JE PENSE, COURTNEY AVAIT PEU DE SUCCÈS DANS SA QUÊTE D'AMIS AU COLLÈGE D'HILLSBOROUGH.

ELLE SAVAIT QU'ELLE N'ALLAIT PAS DEVENIR MISS POPULARITÉ, MAIS JUSQU'ICI, SOIT TROIS SEMAINES APRÈS SON ARRIVÉE, ELLE N'AVAIT TOUJOURS AUCUN AMI...

DU MOINS AUCUN QUI N'AIT PAS ÉTÉ MANGÉ.

ALORS, JE PENSAIS À UNE CRÈME GLACÉE.

MM-HMM?

PEUT-ÊTRE QUE TOI ET MOI. PEUT-ÊTRE DES CRÈMES GLACÉES.

MM-HMM?

JE PENSAIS DEMAIN APRÈS-MIDI.

PENDANT UN TEMPS, SA FIERTÉ L'EMPÊCHAIT D'ÊTRE TROP PRÉOCCUPÉE, MAIS PETIT À PETIT, ELLE COMMENÇAIT À SE SENTIR...

...UN PEU SEULE.

COURTNEY TROUVAIT SON ONCLE ...

SA NOUVELLE MAISON, CEPENDANT, C'ÉTAIT TOUT AUTRE CHOSE.

...OU, PLUS PRÉCISÉMENT, SON PASSE-TEMPS SINGULIER ...

PARTICULIÈREMENT INTRIGANT ...

...MAIS PLUS OU MOINS INCOMPRÉHENSIBLE.

Chapitre Six
La Séduction irrésistible

CELA DEVAIT POURTANT BIEN SIGNIFIER QUELQUE CHOSE, SE DISAIT-ELLE.

Chapitre Six
La Séduction irrésistible

SON ONCLE NE POSSÉDERAIT PAS DES PILES DE LIVRES REMPLIS DE CHARABIA.

...SÉDUCTION.

D'AC!

HMMM ...

C'ÉTAIT DIFFICILE À DÉCHIFFRER, MAIS ELLE SENTAIT QU'ELLE COMMENÇAIT À EN SAISIR LE SENS.

FACE À SA SOLITUDE, COURTNEY ESSAYAIT D'ÊTRE PHILOSOPHE.

«IL Y A DES CHOSES PIRES QUE LA SOLITUDE,» SE DISAIT-ELLE.

«C'EST JUSTE QUE JE N'EN VOIS AUCUNE POUR LE MOMENT.»

HÉ, COURTNEY!

SALUT, COURTNEY!

COMMENT ÇA VA?

EST-CE QUE TU VEUX SORTIR CE WEEK-END?

QU'EST-CE QUE TU PENSES DE CE GARETH ROSSER? MIGNON, HEIN?

QU'EST-CE QUE TU FAIS APRÈS L'ÉCOLE?

ET COURTNEY RESTA LE CENTRE DE TOUTES LES ATTENTIONS POUR LE RESTE DE LA JOURNÉE.

Vos ancêtres sont-ils arrivés à bord du Mayflower ?

ET POURQUOI LES PATRIOTES ATTAQUÈRENT-ILS LE CONVOI ?

COURTNEY ?

OH, HEU, PARCE QUE LES PURITAINS NE PEUVENT BOIRE DE CAFÉ ? C'EST UN PÉCHÉ ?

C'EST UNE RÉPONSE... TRÈS ORIGINALE. TRÈS BIEN, COURTNEY.

C'ÉTAIT AUSSI PARCE QUE LES TAXES À L'IMPORTATION ÉTAIENT TRÈS ÉLEVÉES, ET LES COLONS AVAIENT LE SENTIMENT D'ÊTRE EXPLOITÉS.

OUAIS, JE VOIS.

MAIS J'AIME BEAUCOUP LA FAÇON DONT FONCTIONNE VOTRE ESPRIT, JEUNE FILLE.

CONTINUEZ COMME ÇA.

Vos ancêtres sont-ils arrivés à bord du Mayflower ?

IL AVAIT INTERROMPU SES PENSÉES ET EN LE REGARDANT, ELLE SE LIQUÉFIA DE L'INTÉRIEUR.

C'EST EXACTEMENT POUR CETTE RAISON QUE COURTNEY ÉVITAIT LES GARÇONS COMME GARETH. ELLE SE SENTAIT BIZARRE D'UNE FAÇON QU'ELLE NE COMPRENAIT PAS VRAIMENT.

MAIS TU SEMBLES VRAIMENT MÉRITER QU'ON LE FASSE.

HEU...

MERCI...

JE PENSAIS À UNE CRÈME GLACÉE. JE CONNAIS UN ENDROIT. C'EST PLUTÔT COOL.

OU-... OUI... COOL. J'AIME BIEN..

COOL.

CETTE INVOCATION N'ÉTAIT PEUT-ÊTRE PAS UNE SI MAUVAISE IDÉE APRÈS TOUT.

SUPER.

JE TE VOIS APRÈS L'ÉCOLE.

D'AC!

THUK

KRAKK

KRASShHH!

ON EN ÉTAIT PLUS OU MOINS À CE STADE QUAND COURTNEY DÉCIDA D'EFFECTUER UNE DISCRÈTE SORTIE.

WAOUH, ILS CASSENT TOUT LÀ-DEDANS.

HÉ, ELLE S'EN VA.

SA POPULARITÉ NAISSANTE DEVENAIT MAINTENANT DÉSAGRÉABLE. ELLE DÉCIDA QUE LA MEILLEURE ATTITUDE À SUIVRE ÉTAIT D'ÉVITER LES GENS JUSQU'À CE QU'ELLE PUISSE COMPRENDRE COMMENT DÉFAIRE LE SORT.

COURTNEY, NOUS ÉTIONS AMIES.

PAS... ...VRAIMENT...

COMMENT AS-TU PU ME FAIRE ÇA?

LES CHOSES NE TOURNAIENT PAS BIEN POUR CATHY. COURTNEY CHOISIT DE NE PAS RESTER POUR VOIR.

LAISSEZ-MOI TRANQUILLE!!!

LA SITUATION À LA MAISON ÉTAIT TOUT AUSSI TROUBLANTE. COURTNEY ÉTAIT TRÈS PERTURBÉE DE CONSTATER QUE L'ADORATION MANIFESTÉE PAR SES PARENTS ÉTAIT PIRE QUE LEUR INDIFFÉRENCE.

COMMENT VA MON PETIT ANGE, AUJOURD'HUI?

J'AI ENTENDU DIRE QUE TU AS PASSÉ DU TEMPS AVEC LE PETIT ROSSER. C'EST BIEN MA FILLE, ÇA.

TU ES TRÈS BELLE AUJOURD'HUI. TU AS FAIT QUELQUE CHOSE À TES CHEVEUX?

PAR CONTRE, L'ONCLE ALOYSIUS SEMBLAIT RESTER LE MÊME.

PEUT-ÊTRE PAS TOUT À FAIT LE MÊME.

PEUT-ÊTRE ÉTAIT-CE SA FAÇON DE MANIFESTER SON INTÉRÊT.

BonG BunG

LA SOIRÉE PEUT DEVENIR ENCORE PLUS PÉNIBLE?

QUESTION STUPIDE...

OUAIS, ALORS, IL FAUT QU'ON PARLE.

BIEN SÛR. ON DÉJEUNE ENSEMBLE UN DE CES QUATRE.

Kaklak

ÇA NE SIGNIFIE RIEN POUR TOI?

JE T'AIME. MOI! MOI!

GARETH...

C'EST ÉTRANGE. TU N'ES TELLEMENT PAS MON GENRE.

TU N'ES QU'UNE RATÉE.

MERCI.

TU ES GENRE... VRAIMENT INTENSE. TU VOIS?

MAIS JE SUIS OBSÉDÉ PAR TOI DEPUIS LE PREMIER JOUR OÙ JE T'AI VUE.

EUH...

JE PEUX AFFIRMER QUE TU ES UNE GRANDE PENSEUSE.

ET UNE ARTISTE.

TU CROIS?

TU ES UNE PERSONNE MAGNIFIQUE, COURTNEY. À L'INTÉRIEUR.

UN CŒUR TENDRE. UNE ÂME SENSIBLE, TU VOIS?

OK, ÇA SUFFIT. FERME-LA!

MAIS...

J'AI TROUVÉ ÇA DANS TA CHAMBRE.

JE SUIS VRAIMENT DÉSOLÉE MONSIEUR.

JE COMPRENDS TA CURIOSITÉ.

ET J'IMAGINE QUE TU AS REMARQUÉ LE DANGER QUE POUVAIT REPRÉSENTER UN TEL POUVOIR.

OH, OUI.

TU AS DE LA CHANCE. TU N'AS VU QUE LA PARTIE ÉMERGÉE DE L'ICEBERG.

ÇA AURAIT PU ÊTRE PIRE.

ÇA ALLAIT PLUTÔT MAL PENDANT UN MOMENT.

TU AS ATTIRÉ L'ATTENTION SUR TOI, CE QU'UNE SORCIÈRE INTELLIGENTE ESSAIE D'ÉVITER.

SORCIÈRE?

JE TE DIS CELA EN TOUTE CONFIANCE, COURTNEY.

AI-JE L'AIR IMPOTENT?

HEIN? NON, PAS VRAIMENT.

COURTNEY, SI J'AVAIS VRAIMENT EU BESOIN DE QUELQU'UN, LES DERNIÈRES PERSONNES À QUI JE ME SERAIS ADRESSÉ AURAIENT ÉTÉ MON IDIOT DE NEVEU ET SA FEMME.

JE NE PIGE PAS.

TOUTES CES ANNÉES, J'AI SUPPORTÉ PLUS QUE MA PART DE CURIOSITÉ DE LA PART DU GRAND PUBLIC.

J'AI INVITÉ TES PARENTS À VIVRE ICI POUR M'APPORTER UN PEU D'ANONYMAT.

Magie Interdite

Secret Pile

D'ACCORD, J'AI PIGÉ MAINTENANT.

LE DERNIER ENDROIT POUR LEQUEL LES GENS SONT CURIEUX, C'EST LA MAISON DES NAZES.

LA SIMPLICITÉ MÊME, N'EST-CE PAS?

VOUS ÊTES FUTÉ, ONCLE A. J'AURAI UN ŒIL SUR VOUS.

ET MOI SUR TOI. MAIS MAINTENANT, JE VAIS T'AIDER À DÉFAIRE TON PETIT SORT.

UN FOIS LES INGRÉDIENTS RÉUNIS, ALOYSIUS APPRIT À COURTNEY LES INCANTATIONS ADÉQUATES, LA CORRIGEANT PATIEMMENT QUAND ELLE PRONONÇAIT MAL LES MOTS.

PUISQUE COURTNEY AVAIT LANCÉ DEUX FOIS LE SORT, ELLE DEVAIT ÉGALEMENT LANCER SON CONTRE-SORT DEUX FOIS.

OMBRES SOUS LA LUNE, AIDEZ CETTE ÂME GROSSIÈRE, ÔTEZ CETTE SÉDUCTION MAL ACQUISE, ET QUE LA VÉRITÉ SE FASSE.

PEUT-ÊTRE UNE AUTRE FOIS POUR ÊTRE SÛRE ?

JE N'EN FERAIS RIEN.

LANCER UN CONTRE-SORT QUAND IL N'Y A PAS DE SORT AURAIT L'EFFET INVERSE.

OH, VRAIMENT ?

AAAAHH...

ALORS VOILÀ, COURTNEY, JE ME DEMANDAIS...

TU N'ENVISAGEAIS PAS D'ÉVOQUER... LA NUIT DERNIÈRE... OU... QUOI QUE CE SOIT QUI AIT PU SE PASSER... À QUELQU'UN, N'EST-CE PAS?

JE N'Y AVAIS PAS VRAIMENT PENSÉ.

EH BIEN, C'EST JUSTE QUE, TU SAIS, CE SERAIT SANS DOUTE MIEUX SI TU N'EN PARLAIS À PERSONNE.

ÇA SERAIT ... PLUTÔT MAUVAIS... POUR NOUS DEUX.

SURTOUT POUR TOI. JE PENSE SIMPLEMENT À TA RÉPUTATION.

ÇA ALORS. MERCI.

ÔTEZ CETTE SÉDUCTION MAL ACQUISE ET QUE LA VÉRITÉ SE FASSE.

PARDON?

OH, RIEN.

T'ES VRAIMENT BIZARRE.

ALORS CATHY, OÙ VEUX-TU QUE JE SIGNE CE PLÂTRE?

VA JOUER AILLEURS, GARETH.

Chapitre Trois

TOUTE CETTE PAGAILLE A VÉRITABLEMENT COMMENCÉ À LA RÉUNION DES PARENTS DU COLLÈGE D'HILLSBOROUGH.

HILLSBOROUGH MIDDLE SCHOOL

C'ÉTAIT UNE MANŒUVRE SOIGNEUSEMENT ORCHESTRÉE, LE GENRE QUE MME CRUMRIN MAÎTRISAIT PARFAITEMENT.

REGARDEZ BIEN.

CHÈRE EVELYNE...

J'AI ENTENDU DIRE QUE VOUS AVIEZ DES PROBLÈMES POUR TROUVER UNE BONNE NOUNOU.

QUEL DÉSASTRE!

ON AURAIT PU CROIRE QUE LE MAIRE TATE AURAIT UNE FILLE CORRECTEMENT ÉDUQUÉE.

DE PRIME ABORD, ELLE SEMBLAIT PLUTÔT POLIE.

MAIS FRANCHEMENT, QUI POURRAIT IMAGINER QUE DES ADOLESCENTS PUISSENT PROVOQUER DE TELS DÉGÂTS?

ILS AVAIENT TRANSFORMÉ LA MAISON EN BOÎTE DE NUIT.

MA CHÉRIE...

ILS ÉTAIENT SIX OU SEPT, AVEC LEUR MUSIQUE ASSOURDISSANTE. LE TAPIS EST IRRÉCUPÉRABLE.

AJOUTEZ À CELA TROIS BOUTEILLE DE RŒDERER. VOUS IMAGINEZ ?

C'EST TERRIBLE.

ET PLUSIEURS CENTAINES DE DOLLARS DE FACTURE POUR DES APPELS LONGUE DISTANCE VERS UNE AUBERGE DE JEUNESSE À AMSTERDAM.

MA PAUVRE-

OH ! QUELLE HONTE !

LE LOUIS RŒDERER N'EST-IL PAS À MILLE DOLLARS LA BOUTEILLE ?

MA PAUVRE AMIE.

VOUS SAVEZ, SI VOUS ÊTES TOUJOURS À LA RECHERCHE D'UNE BABY-SITTER...

SUBTILE, N'EST-CE PAS ?

EN PLUS D'ÊTRE PROCUREUR GÉNÉRAL DE TOUT LE COMTÉ, JEBEDIAH FINCH ÉTAIT ISSU D'UNE FAMILLE FORTUNÉE.

LUI ET SA FEMME ÉTAIENT PARMI LES MEMBRES LES PLUS RESPECTÉS DE LA COMMUNAUTÉ...

... ET TOUS LEURS AMIS, PAR PROCURATION, L'ÉTAIENT TOUT AUTANT.

N'EST-ELLE PAS UN PEU JEUNE ?

PEUT-ÊTRE, MAIS REGARDE LES CHOSES AUTREMENT.

DE TOUTE LES FILLES DU VOISINAGE, COURTNEY CRUMRIN EST LA MOINS SUSCEPTIBLE D'ORGANISER UNE FÊTE IMPROMPTUE.

HÉ HÉ. OU DE PLOMBER LA FACTURE DE TÉLÉPHONE.

ET J'AI FERMÉ LE BAR AU CAS OÙ.

C'EST AMUSANT. LORSQUE J'ÉTAIS ENFANT, NOUS AVIONS TOUS UNE PEUR BLEUE DE LA MAISON CRUMRIN.

JE N'AURAIS JAMAIS IMAGINÉ QUE SES RÉSIDENTS SERAIENT SI...

JE NE SAIS PAS...

JE PENSE QUE LE MOT QUE TU CHERCHES EST «COMMUNS».

HÉ...

ILS N'INSPIRENT PAS VRAIMENT LE MYSTÈRE ET LA TERREUR, N'EST-CE PAS?

IL EST... SIMPLEMENT... ADORABLE...

HÉ, UN VRAI... CHAMPION... JEB.

IL FERA UN SUPERBE AVANT-CENTRE UN JOUR. QUEL COUP DE PIED.

C'EST UNE TRONCHE DE CUL, CE BÉBÉ.

CHHH!

...BLEUUURRK...

MAGNIFIQUE. MERCI. EH BIEN, NOUS Y SOMMES, JE CROIS. ALLONS-Y CHÉRIE.

COURTNEY, NE LAISSE PAS BOO ENTRER DANS LA CHAMBRE.

JE NE VOUDRAIS PAS QU'IL S'ENDORME À NOUVEAU SUR LA PETITE TÊTE DE ROGER.

TU ENTENDS, MON CŒUR?

CECI ÉTANT, EVELYNE, QUI DEVONS-NOUS TUER POUR ÊTRE INVITÉS À LA VENTE DE CHARITÉ DU MAIRE TATE LE MOIS PROCHAIN?

...GROGNE...

CHÉRIE, SOIS SAGE.

C'EST PLUS OU MOINS COMME ÇA QUE COURTNEY SE RETROUVA À GARDER LE NOUVEAU-NÉ DES FINCH

MÊME DANS SES BONS JOURS, COURTNEY N'AIMAIT PAS LES BÉBÉS. POUR CE QU'ELLE EN SAVAIT, TOUT CE QUI EXISTAIT UNIQUEMENT POUR PRODUIRE DE LA BAVE, DU VOMI, DES ODEURS DÉGOÛTANTES ET DES CRIS STRIDENTS N'ATTIRAIT QUE DES ENNUIS.

INUTILE DE PRÉCISER QUE DANS CETTE HISTOIRE, SES PARENTS NE L'AVAIENT PAS CONSULTÉE.

LE SEUL BON POINT, C'ÉTAIT QUE LES FINCH AVAIENT UNE PARABOLE.

VOUS REGARDEZ LA CHAÎNE ÉDUCATIVE FAMILIALE.

ET MAINTENANT, JE PROJETTE DES TIQUES ÉNERVÉES DU BOUT DE MES SEINS.

QU'EST-CE
QUE...

-:BRRR...:-

IL ME
FILE LA
CHAIR DE
POULE...

JE PARIE
QU'IL DEVIENDRA
AVOCAT EN
DIVORCES.

BON,
D'ACCORD!

QU'EST-CE
QUE C'EST QUE
CETTE ZONE?

QU'EST-CE QUE TU AS TROUVÉ CETTE FOIS?

C'EST UNE BLAGUE OU QUOI?

BUUUUURRp•

IL Y A VRAIMENT UN GRAVE PROBLÈME AVEC CE GAMIN.

IL DOIT DÉJÀ ÊTRE SOUS PROZAC.

...GROGNE...

HEU... JE PEUX T'AIDER?

RRRRRAAAWWWW

D'HABITUDE, ÇA FILE UNE TROUILLE D'ENFER AUX PETITES FILLES.

JE VAIS PRENDRE UN RISQUE ET FAIRE LA SUPPOSITION QUE TU N'ES PAS UN VRAI BÉBÉ.

QU'EST-CE QUI T'A MIS SUR LA VOIE, POUPÉE?

DÉJÀ, TU SENS ENCORE PLUS MAUVAIS QU'UN BÉBÉ HUMAIN.

LE WHISKY ME DONNE TOUJOURS DES GAZ...

OÙ EST LE VRAI BÉBÉ?

QU'EST-CE QUE ÇA PEUT TE FAIRE? C'EST PAS LE TIEN.

OUAIS, MAIS SUR QUI ÇA VA RETOMBER QUAND ILS RENTRERONT ET QU'ILS VERRONT QUE LEUR MORVEUX A ÉTÉ REMPLACÉ PAR UN HOBBIT MUTANT?

LE CHAT?

IL EST DÉJÀ LOIN, MA PETITE, C'EST TROP-

À CAUSE DE ÇA, JE RATE LES SUPER NANAS!

HAH!

OH, C'EST TOI.

SALUT, BUTTERWORM, ON ALLAIT JUSTE FAIRE UN TOUR À GOBELIN-VILLE.

MAIS C'EST INTERDIT AUX...

C'EST CE QU'ON LUI A DIT.

OKAY, C'TAIT SUPER D'T'AVOIR CONNUE.

'SPÈCE DE P'TITE CHIPIE.

BEN, MERCI.

ALORS, FINALEMENT, QU'EST-CE QUE LES CHOSES DE LA NUIT VEULENT FAIRE DE MORVEUX YUPPIES ?

JE NE PEUX MÊME PAS L'IMAGINER. POUR MA PART, JE N'EN AURAIS PAS LA MOINDRE UTILITÉ.

ILS EN TIRENT UN BON PRIX AU SOMBRE MARCHÉ. LES ANCIENS LES ÉLÈVENT COMME LES LEURS.

CHARMANT. ET TOI, BOO, C'EST QUOI TON HISTOIRE ?

PAS D'HISTOIRE, MADAME, JE SUIS JUSTE UN CHAT.

JUSTE UN CHAT DE SALON QUI PARLE. PIGÉ.

COMPTE TENU DE VOS ORIGINES, MADEMOI-SELLE CRUMRIN, JE SUIS SURPRIS DE VOTRE MANQUE DE CONNAISSANCES DU MONDE.

HEU-HEU.

HÉ. POURQUOI T'AS PAS ARRÊTÉ CES TYPES QUAND ILS KIDNAPPAIENT LE BÉBÉ?

SONT-CE MES AFFAIRES?

TU ES LE CHAT DES FINCH, PAS VRAI? ET LA FIDÉLITÉ?

S'ILS VOULAIENT DE LA FIDÉLITÉ, ILS AURAIENT PRIS UN CHIEN. JE ME TIENS À L'ÉCART DE LEURS AFFAIRES ET ILS EN FONT DE MÊME AVEC MOI.

ON Y EST.

PENDANT UN INSTANT, COURTNEY SCRUTA, IMMOBILISÉE, L'INTÉRIEUR SOMBRE DU TUNNEL. ELLE SE DOUTAIT QU'ELLE ALLAIT S'ATTAQUER À UN MORCEAU TROP GROS POUR ELLE.

TOUTEFOIS, ELLE N'AVAIT D'AUTRE CHOIX QUE DE CONTINUER, EN ESPÉRANT QUE SA CHANCE ET SON BON SENS NE L'ABANDONNERAIENT PAS.

Gobelin Ville

SOUVIENS-TOI, MON ENFANT. NE PRENDS NI NOURRITURE NI BOISSON UNE FOIS LE SEUIL FRANCHI.

TU ARPENTES UN TERRAIN DANGEREUX EN CES LIEUX.

NI NOURRITURE NI BOISSON PASSÉ CETTE LIMITE

MORTELS RESTEZ À L'ÉCART

PAS SI VITE MINUS.

BON BEN, BONNE CHANCE LES GARS. JE RETOURNE CHEZ MOI.

TU VAS M'AMENER DIRECTEMENT À LUI.

MAIS...

SINON, ON PEUT ESSAYER DE VOIR CE QUI SE PASSE QUAND ON MET UN BÉBÉ AU MICRO-ONDES.

...GROGNE...

C'EST L'IDÉE.

MALGRÉ SES BRAVADES, COURTNEY DEVAIT FAIRE FACE À UNE FURIEUSE ENVIE DE S'ENFUIR EN COURANT DANS LA NUIT.

PRENANT UNE PROFONDE INSPIRATION, ELLE SE RÉSOLUT À MENER À BIEN SA MISSION. "APRÈS TOUT", SE DIT-ELLE, "ÇA NE DOIT PAS ÊTRE PIRE QUE DE CHANGER DES COUCHES..."

QUI VA LÀ?

NOUS SENTONS UNE VIERGE MORTELLE.

CHANGELING, LES PAS DE MORTELS SONT-ILS FAITS POUR ARPENTER CES LIEUX?

POURQUOI AVOIR AMENÉ CET ENFANT?

HEU... NON, NON, C'EST UNE... NYMPHE DES BOIS, VOUS VOYEZ?

VRAIMENT?

C'EST VRAI. J'AI PERDU MES AILES DANS UN ACCIDENT BIZARRE, D'ACCORD?

DÉGA-GEZ!

TRÈS CONVAIN-CANTE.

LA FERME!

COURTNEY SE RETROUVA SOUDAIN HAPPÉE PAR UNE FOULE DE MONSTRES VENUS D'UN AUTRE MONDE, LA POUSSANT ET SE COLLANT À ELLE.

VIANDE TENDRE, M'ZELLE ?

POMMES ENCHANTÉES, EN DIRECT DE TIR NAN OG.

VIN AU MIEL. AU NECTAR DES FLEURS DE MALLORN.

NON MERCI !

ET SON ALTESSE L'EMPORTE POUR VINGT SOUVERAINS.

NOUS AVONS ENSUITE UN ENFANT DE MORTEL. DE BONNE NAISSANCE ET PLEIN D'INNOCENCE.

COMMENÇONS LES ENCHÈRES À CENT SOUVERAINS. QUI SUIVRA ?

HÉ, C'EST LUI !

UN, S'IL VOUS PLAÎT.

J'AI CENT SOUVERAINS PAR SA FÉROCE MAJESTÉ. QUI DIT CENT VINGT ?

NOUS AVONS UN ACHETEUR AVIDE MES AMIS!

JE REGRETTE, JEUNE FILLE, VOUS ALLEZ DEVOIR FAIRE UNE OFFRE.

C'EST MON BÉBÉ!!!

JE PEUX PAS CROIRE CE QUE JE VIENS DE DIRE.

BIEN SÛR QU'IL L'EST, POUR SEULEMENT CENT VINGT SOUVERAINS.

BIÈRE?

PAIN FRAIS?

ÉPICES EXOTIQUES.

NON!!!

-TOUSSE-
-TOUSSE-
-TOUSSE-

-CRACHE-

TIENS, BOIS ÇA.

-TOUSSE-

MERCI.

DE RIEN.

ESPÈCE DE...

JE T'AVAIS PRÉVENUE, FILLETTE.

...MAUDIT CHAT...

ET COURTNEY SOMBRA DANS L'INCONSCIENCE.

QUAND ELLE REVINT À ELLE, ELLE VIT QUE SA SITUATION AVAIT CHANGÉ...

...EN MAL.

HO HO.

ET MAINTENANT, MESDAMES ET GENTES CRÉATURES, UNE MORTELLE VIERGE, DE CELLES DONT LA REINE TITANIA RAFFOLAIT.

NOUS COMMENÇONS LES ENCHÈRES À CINQUANTE.

À TRAVERS SA CAGE, COURTNEY OBSERVA L'ASSEMBLÉE DES ENCHÉRISSEURS. ILS ÉTAIENT SINISTRES ET MYSTÉRIEUX. ET ELLE ENVISAGEA SANS JOIE CE QU'ILS AVAIENT EN TÊTE À SON SUJET.

PERSONNE À CINQUANTE? ET À QUARANTE? QUARANTE SOUVERAINS POUR LA VIERGE.

C'EST ALORS QU'ELLE VIT BOO.

SI PERSONNE N'EN VEUT, NOUS SERONS DANS L'OBLIGATION DE LA JETER DANS LE PUITS BOUEUX DES TÊTES DÉCHARNÉES ET DES OS ENSANGLANTÉS.

QUARANTE SOUVERAINS SAUVENT CETTE MALHEUREUSE D'UN HORRIBLE DESTIN.

FILS DE...

QUI A DIT QUARANTE?

SOUDAIN, TOUT DEVINT CLAIR. LE VIL ANIMAL AVAIT DUPÉ COURTNEY EN L'ENTRAÎNANT DANS GOBELIN-VILLE POUR QUELQUE MOTIF EFFROYABLE.

QUARANTE SOUVERAINS. J'AI QUARANTE. QUI DIT CINQUANTE ?

CIN-QUANTE.

J'AI CINQUANTE. QUI DIT SOIXANTE ?

SOIXANTE, SON ALTESSE ENCHÉRIT À SOIXANTE.

SOIXANTE-DIX. LA DAME ENCHÉRIT À SOIXANTE-DIX.

COURTNEY VOULAIT HURLER, INSULTER LE COMMISSAIRE-PRISEUR, N'IMPORTE QUOI POUR METTRE FIN À CE QUI SE PASSAIT. MAIS SA STUPEUR ET SA DÉSORIENTATION LA RENDAIENT INCAPABLE DE LA MOINDRE ACTION.

ELLE NE POUVAIT QUE RESTER MUETTE D'HORREUR ALORS QUE SON AVENIR ÉTAIT DÉCIDÉ PAR DES CAUCHEMARS VIVANTS.

QUATRE-VINGTS POUR SON ALTESSE. QUATRE-VINGT-DIX POUR SON HORREUR. QUI DIT CENT ?

QUATRE-VINGT-DIX UNE FOIS. DEUX FOIS.

CENT. MERCI, MONSEIGNEUR.

TU M'AS PIÉGÉE, PAS VRAI?

JE VOUS AVAIS PRÉVENUE MADAME.

GOBELIN-VILLE N'EST PAS UN ENDROIT POUR LES MORTELS.

VOILÀ CE QUE JE GAGNE À CROIRE UN CHAT QUI PARLE.

PEUT-ÊTRE...

ALORS QU'ILS SORTAIENT ET S'AVANÇAIENT VERS LE SOMBRE TUNNEL, L'HORREUR DE LA SITUATION ENVAHIT COURTNEY.

C'EST VRAIMENT... INJUSTE.

APRÈS UN TEMPS, LE CARROSSE RALENTIT PUIS S'ARRÊTA ET SON UNIQUE OCCUPANT DESCENDIT.

OH MERDE.

ALORS QUE LE RAVISSEUR DE COURTNEY S'APPROCHAIT, SA TERREUR SE TRANSFORMA EN PANIQUE. ELLE RÉALISA QUE SEUL UN MIRACLE POUVAIT DÉSORMAIS LA SAUVER.

ONCLE A, OÙ ES-TU?

J'AI BESOIN D'AIDE, LÀ.

JE SUIS LÀ COURTNEY.

TU N'ES PAS PARTICULIÈREMENT LUCIDE AUJOURD'HUI, N'EST-CE PAS?

MAIS... COMMENT AS-TU...?

TON PETIT AMI QUE VOILÀ M'A PRÉVENU.

ET C'EST UNE CHANCE POUR TOI QU'IL L'AIT FAIT.

JE N'AURAIS JAMAIS IMAGINÉ QU'UNE FILLE AUSSI INTELLIGENTE QUE TOI PUISSE SE METTRE DANS UNE SITUATION AUSSI ABSURDE.

ET QU'EST-CE QUE J'AURAIS DÛ FAIRE?

EXPLIQUER À MME FINCH QUE SON BÉBÉ AVAIT ÉTÉ KIDNAPPÉ ET REMPLACÉ PAR UN MUPPET MALÉFIQUE?

EVELYN FINCH? ELLE NE S'EN RENDRAIT MÊME PAS COMPTE.

MAIS LE BÉBÉ! IL A ÉTÉ VENDU À CETTE FEMME-LÉZARD BIZARRE.

JE SUIS TOUCHÉ PAR TON INTÉRÊT. MAIS CE GENRE DE CHOSES ARRIVE, COURTNEY.

JE NE M'EN INQUIÈTERAIS PAS SI J'ÉTAIS TOI.

LE PETIT ROGER ÉTAIT PARTI DEPUIS LONGTEMPS, MAIS LE CHANGELING AVAIT ENCORE UN TRAVAIL À EXÉCUTER.

ILS LE TROUVÈRENT DANS L'AUBERGE LOCALE, PARIANT L'ARGENT QU'IL AVAIT GAGNÉ EN VENDANT COURTNEY.

HOO HOO! LES GARS, IL SEMBLERAIT QUE MA CHANCE TOURNE ENFIN.

HUM!

TU TE SOUVIENS DE MOI?

OH MERDE!

FINALEMENT, ILS LE PERSUADÈRENT DE RETOURNER À SES OBLIGATIONS.

C'EST VRAIMENT INJUSTE.

MERCI ONCLE A.

SOIS PLUS PRUDENTE LA PROCHAINE FOIS. JE NE SERAI PAS TOUJOURS LÀ POUR TE SECOURIR.

ET APRÈS AVOIR LANCÉ QUELQUES SORTS UTILES DE RECONSTRUCTION DE MATIÈRES BRISÉES, IL PARTIT.

AH, SALUT. VOUS VOUS ÊTES BIEN AMUSÉS CE SOIR, LES ENFANTS?

CERTAINEMENT. EST-CE QUE TU POURRAIS REVENIR LA SEMAINE PROCHAINE?

CINQUANTE DOLLARS LA NUIT...

PAS DE PROBLÈME.

Chapitre Quatre

JE N'ARRIVE TOUJOURS PAS À CROIRE QU'ILS AIENT ANNULÉ ALLIE MCSHPEAL.

HÉ, QU'EST-CE QUE C'EST QUE CETTE GROSSE VOITURE DEHORS?

ONCLE ALOYSIUS S'EN VA EN VOYAGE.

COMMENT ÇA?

IL VA DANS UNE DE CES CLINIQUES SUISSES.

PEUT-ÊTRE CELLE OÙ VA KEITH RICHARDS.

OH, C'EST SÛR, J'EN SUIS JALOUX.

QU'EST-CE QU'IL A? IL EST MALADE?

ALLONS CHÉRIE, TU SAIS QU'IL EST TERRIBLEMENT VIEUX ET QUE SA SANTÉ EST FRAGILE.

TU M'ÉCOUTES COURTNEY?

MMMM...

JE REVIENDRAI BIENTÔT. DEUX SEMAINES EN DÉPLACEMENT.

PAS DE 'BLÈME, ONCLE A. J'AI PAPA ET MAMAN POUR ME DIVERTIR.

ET LES JOURS PASSAIENT. MAIS L'ÉTRANGE VIEIL HOMME MANQUAIT BEAUCOUP PLUS À COURTNEY QU'ELLE NE L'AURAIT CRU.

ELLE ESSAYA DE REPRENDRE SES VIEILLES HABITUDES.

TU AS PARLÉ À MME FINCH RÉCEMMENT?

JE L'AI VUE À L'ÉPICERIE, MAIS JE N'AI PAS PU LA RATTRAPER.

POUR UNE FEMME POUSSANT UN CADDIE REMPLI DE BOUTEILLES DE VIN, ELLE ALLAIT PLUTÔT VITE.

JE VOIS CE QUE TU VEUX DIRE. JEB EST PAREIL.

JE NE PEUX PAS LE SUIVRE À LA COURSE. ILS SE DONNENT VRAIMENT À FOND.

MAIS OBSERVER SES PARENTS N'ÉTAIT PLUS AUSSI DISTRAYANT QU'AVANT.

QUELS MODÈLES! ILS SONT VRAIMENT FORMIDABLES.

NE PAS AVOIR DE VÉRITABLES AMIS ÉTAIT UNE CHOSE AVEC LAQUELLE COURTNEY AVAIT APPRIS À VIVRE. MAIS CELA AVAIT SES INCONVÉNIENTS.

BON, MAINTENANT C'EST TON TOUR. PRENDS LES DÉS.

MOUH!

PRENDS-LES.

MOUH!

...GROGNE...

-:CROQUE:-
-:CROQUE:-
-:CROQUE:-

LAISSE
TOMBER.

TOI AUSSI
BEAU GOSSE.
DEHORS !

slam!

ET ELLE COMMENÇA À SE
DEMANDER POURQUOI ELLE AVAIT
AUTANT DE MAL À TROUVER
QUELQU'UN DE BIEN POUR PASSER
DU TEMPS AVEC ELLE.

Les Caves
d'Hillsborough

Drive in
Video

SON DÉCOURAGEMENT ALLAIT CROISSANT.
PARTOUT AUTOUR D'ELLE, LES AUTRES
ENFANTS BAVARDAIENT JOYEUSEMENT...

comedy

MATEZ ÇA.
DERNIER MODÈLE.

MEC !

GÉNIAL.

J'EN VEUX
UNE.

... ET LES ADULTES S'OCCUPAIENT AVEC D'INVRAISEMBLABLES ACTIVITÉS.

ET UN..

DEUX...

TROIS...

QUATRE...

COURTNEY ÉTAIT UNE FILLE PRAGMATIQUE ET ELLE COMMENÇAIT À PENSER QUE QUELQUE CHOSE À PROPOS DU MONDE LUI ÉCHAPPAIT PEUT-ÊTRE.

ON RESPIRE...

DEUX...

TROIS...

QUATRE...

APRÈS TOUT, QU'EST-CE QUI ÉTAIT LE PLUS PROBABLE? QUE LE MONDE SOIT PLEIN DE DINGOS?

OU BIEN QUE LE PROBLÈME VIENNE D'ELLE?

UN MATIN, COURTNEY SE RÉVEILLA ET CE FUT COMME SI SON DÉCOURAGEMENT ÉTAIT DEVENU UNE MALADIE PHYSIQUE.

COURTNEY, PETIT DÉJEUNER!

MMMFF.

ME SENS PAS BIEN.

DÉSOLÉE, ÇA NE MARCHE PAS. ON SE VOIT EN BAS DANS DIX MINUTES.

COURTNEY LUTTA POUR TROUVER LA FORCE DE SE LEVER, MAIS ÇA NE SERVAIT À RIEN. HEUREUSEMENT, SA MÈRE SEMBLAIT L'AVOIR OUBLIÉE.

DANS LA SOIRÉE, ELLE RASSEMBLA SUFFISAMMENT DE FORCES POUR DESCENDRE. LE DÎNER ÉTAIT TERMINÉ, MAIS ELLE TROUVA DES RESTES DANS LA CUISINE.

ENCORE FAIM?

TU FAIS PEINE À VOIR. TU ES PEUT-ÊTRE EN TRAIN DE TOMBER MALADE.

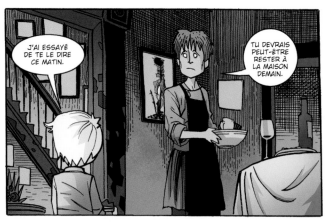

J'AI ESSAYÉ DE TE LE DIRE CE MATIN.

TU DEVRAIS PEUT-ÊTRE RESTER À LA MAISON DEMAIN.

LE LENDEMAIN MATIN, ELLE SE SENTAIT ENCORE PLUS MAL. CETTE FOIS-CI, SA MÈRE NE LA DÉRANGEA PAS ET UNE FOIS ENCORE, ELLE DORMIT JUSQU'AU SOIR.

ELLE N'AVAIT PLUS D'APPÉTIT, MAIS CRAIGNAIT DE PERDRE LE PEU DE FORCE QUI LUI RESTAIT.

ELLE S'OBLIGEA À FAIRE LE LONG PÉRIPLE JUSQU'EN BAS.

SON PÈRE ÉTAIT ENCORE À TABLE À LIRE LE WALL STREET JOURNAL COMME D'HABITUDE ET FAISANT SEMBLANT D'Y COMPRENDRE QUELQUE CHOSE.

HÉ, MA CHÉRIE.

BONNE REMARQUE.

C'ÉTAIT PLUTÔT RÉCONFORTANT.

EN Y PENSANT, TU N'ÉTAIS PAS VRAIMENT TOI-MÊME CES DERNIERS JOURS.

SUPER, MERCI. JE PEUX MANGER MAINTENANT.

N'EXAGÈRE PAS CHÉRIE. ÇA NE FAIT PAS TROIS FOIS QUE TU EN REPRENDS?

JE SAVAIS QUE TOUT CE PARFUM FINIRAIT PAR LUI BOUFFER LE CERVEAU.

LE MATIN SUIVANT, L'ÉTAT DE COURTNEY NE S'ÉTAIT
PAS AMÉLIORÉ. ELLE SE SENTAIT PLUS MAL QUE
JAMAIS. MAIS LA CRAINTE DES ATTENTIONS MACABRES
DU DOCTEUR LA POUSSA HORS DU LIT.

J'AI LES RÉSULTATS
DU CONTRÔLE D'HIER. N'APPELEZ PAS
ENCORE HARVARD, MES AMIS.

*Dissertation :
Racontez votre
dernier voyage
à l'étranger*

MME FINCH,
POURRAIS-JE
FAIRE UN TEST DE
REMPLACEMENT ?

NE FAITES PAS
L'IDIOTE. VOUS AVEZ
PARFAITEMENT
RÉUSSI.

VAS-Y
COURTNEY.

BON TRAVAIL,
MELLE CRUMRIN. VOUS
VOYEZ CE QUE VOUS POUVEZ
FAIRE QUAND VOUS VOUS
EN DONNEZ LA PEINE ?

OUAIS.
HÉ, MERCI POUR
TON AIDE

INUTILE DE DIRE QUE
COURTNEY ÉTAIT TROP
SURPRISE POUR RÉPONDRE.

JE NE PENSE PAS ÊTRE VRAIMENT EN ÉTAT DE JOUER AU TENNIS AUJOURD'HUI.

ÇA NE M'ÉTONNE PAS TU Y ES VRAIMENT ALLÉE FORT CES DEUX DERNIERS JOURS.

VRAIMENT ?

NE SOIS PAS SI MODESTE. AH, AU FAIT, TON MAILLOT EST ARRIVÉ.

MON MAILLOT ?

OUI. J'AI DÛ INSISTER UN PEU POUR T'INCLURE AUSSI TARD DANS L'ÉQUIPE. MAIS TON ENTHOUSIASME M'A IMPRESSIONNÉ.

BARNARD

HILLSBOROUGH 54

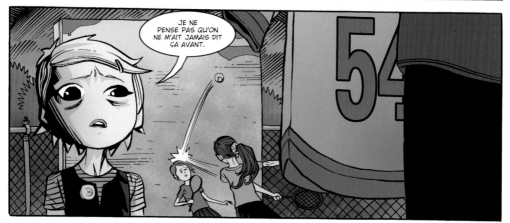

JE NE PENSE PAS QU'ON NE M'AIT JAMAIS DIT ÇA AVANT.

BIEN SÛR, IL ÉTAIT FACILE DE CONCLURE QUE LE COMPORTEMENT ÉTRANGE DE SES PARENTS ÉTAIT DÛ À LEURS CERVEAUX ENDOMMAGÉS. MAIS LÀ, IL EN ALLAIT AUTREMENT. ÉTAIT-ELLE ALLÉE À L'ÉCOLE LA VEILLE, TOUT EN ÉTANT TROP MALADE POUR S'EN SOUVENIR?

YO! CRUMRIN!

HÉ, COURTNEY.

HÉ, COPINE!

ON RETOURNE FAIRE DU SHOPPING AUJOURD'HUI?

MMMF.

...GROGNE...

MALGRÉ UN TROUBLE GRANDISSANT, L'ÉNERGIE DE COURTNEY DIMINUAIT PETIT À PETIT. AU DÉJEUNER, C'EST À PEINE SI ELLE PUT AVALER QUELQUE CHOSE.

FINALEMENT, L'ÉPUISEMENT LA GAGNA.

ZZZZZZZZZZZZZZZZ...

ELLE SE RÉVEILLA UNE DEMI-HEURE PLUS TARD, ET RÉALISA QU'ELLE ÉTAIT EN RETARD POUR LE COURS.

HEIN!!

QUOI!!

LE MIEUX QU'ELLE POUVAIT FAIRE ÉTAIT DE SE TRAÎNER EN CLASSE.

C'EST PAS MA SEMAINE.

108

SALLE 4

MAIS CE QU'ELLE Y VIT LA GLAÇA D'EFFROI.

QUELQU'UN PEUT-IL ME DIRE POURQUOI CETTE PHRASE EST INCORRECTE?

COURTNEY?

C'EST «LA TANTE DE BRIAN HABITE À PARIS,» ET NON «LA TANTE À BRIAN HABITE À PARIS.»

TRÈS BIEN. TU MAÎTRISES VRAIMENT TON SUJET AUJOURD'HUI, JEUNE FILLE.

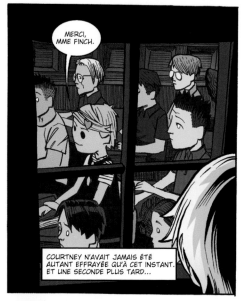

MERCI, MME FINCH.

COURTNEY N'AVAIT JAMAIS ÉTÉ AUTANT EFFRAYÉE QU'À CET INSTANT. ET UNE SECONDE PLUS TARD...

...SON HORREUR DOUBLA.

C'EST COMME SI LE REGARD DE SON DOUBLE LA PÉNÉTRAIT ET VOLAIT CHAQUE ONCE RESTANTE DE SES FORCES.

ELLE S'ÉLOIGNA EN CHANCELANT, SANS AUTRE BUT QUE DE RENTRER CHEZ ELLE.

ÇA LUI PRIT DES HEURES.

ET ALORS CATHY A DIT «FAUT T'Y FAIRE, BABY.»

«MON PAPA PEUT T'ACHETER ET TE VENDRE, TOI ET TON PETIT MAGASIN.»

HAHAHAHA! C'EST EXCELLENT.

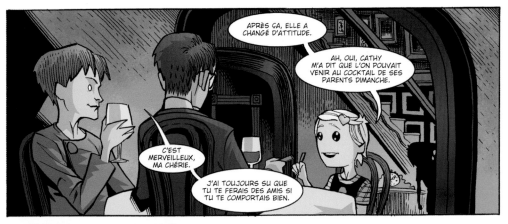

LA TERREUR ET LA RÉVULSION SE MÊLAIENT DOULOUREUSEMENT DANS LE VENTRE DE COURTNEY.

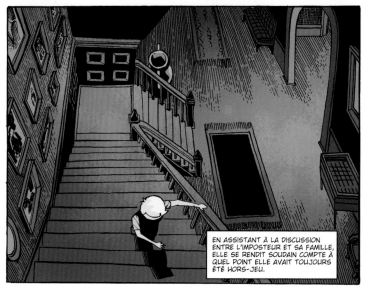

EN ASSISTANT À LA DISCUSSION ENTRE L'IMPOSTEUR ET SA FAMILLE, ELLE SE RENDIT SOUDAIN COMPTE À QUEL POINT ELLE AVAIT TOUJOURS ÉTÉ HORS-JEU.

ELLE S'ÉTAIT EMPARÉE DE SA VIE SANS EFFORT ET AVAIT ÉTÉ BIEN ACCUEILLIE PAR TOUS SANS QU'ILS POSENT DE QUESTIONS.

ET POURQUOI PAS?

QUELLE RAISON AVAIENT-ILS DE LA PRÉFÉRER À ELLE? QU'APPORTAIT-ELLE AU MONDE?

EN VÉRITÉ, LA VRAIE COURTNEY NE COMPTAIT POUR PERSONNE...

...ELLE AURAIT PU NE JAMAIS EXISTER.

QU'EST-CE QUE C'EST QUE CES CONNERIES?

TU CRAINS À MORT DANS MON RÔLE.

QUOI!?!

REGARDE-TOI!

TU NE ME RESSEMBLES PAS. TU NE PARLES PAS COMME MOI...

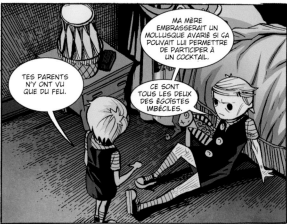

TES PARENTS N'Y ONT VU QUE DU FEU.

MA MÈRE EMBRASSERAIT UN MOLLUSQUE AVARIÉ SI ÇA POUVAIT LUI PERMETTRE DE PARTICIPER À UN COCKTAIL.

CE SONT TOUS LES DEUX DES ÉGOÏSTES IMBÉCILES.

TU N'AS PAS D'AMIS. JE ME SUIS FAIT DES AMIS..

CATHY KELLER DIT QUE JE SUIS COOL.

BRAVO! TU SAIS ÊTRE LÈCHE-CUL. ESSAIE DE NE PAS RESTER COINCÉE EN T'ADMIRANT DANS LA GLACE.

LE FAIT QUE TA MÉDIOCRE PERFORMANCE AIT TROMPÉ CES GENS DEVRAIT TE MONTRER À QUEL POINT ILS SONT IDIOTS.

POURQUOI MÉDIOCRE?

SPLTT

OH MERDE !

COURTNEY ?

CONTENT DE TE VOIR. ON M'A DIT QUE TU ÉTAIS MALADE.

NAN, ÇA VA.

PUIS-JE ENTRER ?

BIEN SÛR...

ALORS TU ALLAIS BIEN PENDANT MON ABSENCE ? PAS DE CATASTROPHES ?

ET BEN VOILÀ, COURTNEY EST V'NUE VIVRE DANS LA MAISON CRUMRIN.

ELLE ET L'VIEUX CRUMRIN S'ENTENDENT COMME LARRONS EN FOIRE. J'AURAIS JAMAIS CRU QU'UNE GAMINE COMME ELLE PUISSE FAIRE FONDRE SON CŒUR DE PIERRE.

MÊME S'IL ESSAIE D'LA TENIR ÉLOIGNÉE DE CERTAINS LIVRES.

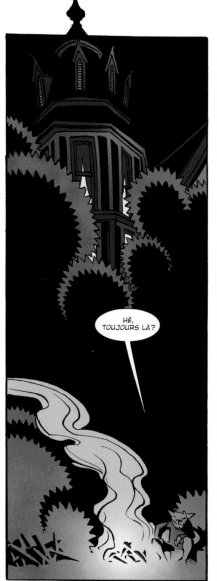

HÉ, TOUJOURS LÀ?

SES PARENTS ESSAIENT TOUJOURS D'ÊTRE TRÈS CHIC, EN BONS TERMES AVEC LA BOURGEOISIE LOCALE.

BEURK!

R'MARQUE, Y PENSENT QUE «TENDANCE» EST UNE MARQUE DE LIT.

MAIS TOUT LE MONDE EST BIEN DANS SON CHEZ SOI MAINTENANT. QU'ILS SOIENT BÉNIS.

BIEN SÛR, ÇA DURERA PAS. PAS DANS CE QUARTIER, Y A DE MAUVAISES CHOSES QUI RÔDENT.

ENCORE PIRES QUE MOI.

ALORS, SI VOUS REV'NEZ ICI, R'GARDEZ OÙ VOUS MARCHEZ.

Z'AVEZ ENCORE RIEN VU.

À paraître

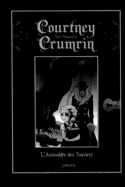

T.2 : juillet 2012   T.3 : octobre 2012

Dans la même collection

LE GARDIEN DE LA PIERRE   LA MALÉDICTION DU GARDIEN DE LA PIERRE   LES CHERCHEURS DE NUAGES   LE DERNIER CONSEIL

...et ne manquez pas

Raina Telgemeier

Souriez